D1535268

Alturas de Machu Picchu
Nerudiana dispersa

Alturas de Machu Picchu
Nerudiana dispersa

PABLO NERUDA

Ilustraciones

Arq. Graziano Gasparini

Neruda, Pablo
  Alturas de Machu Picchu. Nerudiana dispersa. - 1ª ed. - Buenos
Aires: Losada, 2011. - 128 p.; 19 x 12 cm. (Aniversario; 95).

  ISBN 978-950-03-9746-9

  1. Poesía Chilena I. Graziano Gasparini, ilust. II. Título.
  CDD Ch861

Colección Aniversario
Primera edición en esta colección: junio de 2011

por Editorial Losada, S. A., 1972
Moreno 3362, Buenos Aires, Argentina
Tels. 4373-4006 / 4375-5001
www.editoriallosada.com.ar

Tapa: Peter Tjebbes
Maquetación: Taller del Sur

ISBN 978-950-03-9746-9
Depósito legal: B-24289-2011
Queda hecho el depósito que marca la ley 11.723
Libro de edición argentina
Tirada: 2.000 ejemplares
Impreso en España - *Printed in Spain*

Impreso en el mes de junio de 2011
en Sagrafic. S.L., Plaza Urquinaona, 14, 7º 3ª.
08010 Barcelona, España.

Índice

NERUDIANA DISPERSA

Alturas de Machu Picchu

I

Del aire al aire, como una red vacía,
iba yo entre las calles y la atmósfera, llegando
   y despidiendo,
en el advenimiento del otoño la moneda extendida

de las hojas, y entre la primavera y las espigas,
lo que el más grande amor, como
dentro de un guante
que cae, nos entrega como una larga luna.

(Días de fulgor vivo en la intemperie
de los cuerpos: aceros convertidos
al silencio del ácido:
noches deshilachadas hasta la última harina:
estambres agredidos de la patria nupcial).

Alguien que me esperó entre los violines
encontró un mundo como una torre enterrada
hundiendo su espiral más abajo de todas
las hojas de color de ronco azufre:
más abajo, en el oro de la geología,
como una espada envuelta en meteoros,
hundí la mano turbulenta y dulce
en lo más genital de lo terrestre.

Puse la frente entre las olas profundas,
descendí como gota entre la paz sulfúrica,

y, como un ciego, regresé al jazmín
de la gastada primavera humana.

II

Si la flor a la flor entrega el alto germen
y la roca mantiene su flor diseminada
en su golpeado traje de diamante y arena,
el hombre arruga el pétalo de la luz que recoge

en los determinados manantiales marinos

y taladra el metal palpitante en sus manos.

Y pronto, entre la ropa y el humo, sobre la mesa
  hundida

como una barajada cantidad, queda el alma:

cuarzo y desvelo, lágrimas en el océano

como estanques de frío: pero aún

mátala y agonízala con papel y con odio,

sumérgela en la alfombra cotidiana, desgárrala

entre las vestiduras hostiles del alambre.

No: por los corredores, aire, mar o caminos,

quién guarda sin puñal (como las encarnadas

amapolas) su sangre? La cólera ha extenuado

la triste mercancía del vendedor de seres,

y, mientras en la altura del ciruelo, el rocío

desde mil años deja su carta transparente

sobre la misma rama que lo espera,

  oh corazón, oh frente triturada

entre las cavidades del otoño:

Cuántas veces en las calles de invierno

de una ciudad o en
un autobús o un barco en el crepúsculo,
o en la soledad
más espesa, la de la noche de fiesta, bajo el sonido
de sombras y campanas, en la misma
gruta del placer humano,
me quise detener a buscar la eterna veta insondable
que antes toqué en la piedra o en el
relámpago que el beso desprendía.

(Lo que en el cereal como una historia amarilla
de pequeños pechos preñados va repitiendo un
número
que sin cesar es ternura en las capas germinales,
y que, idéntica siempre, se desgrana en marfil
y lo que en el agua es patria transparente, campana
desde la nieve aislada hasta las olas sangrientas).

No pude asir sino un racimo de rostros o de
máscaras
precipitadas como anillos de oro vacío,
como ropas dispersas hijas de un otoño rabioso

que hiciera temblar el miserable árbol
de las razas asustadas.

No tuve sitio donde descansar la mano
y que, corriente como agua de
    manantial encadenado,
o firme como grumo de antracita o cristal,
hubiera devuelto el calor o el frío de mi mano
    extendida.
Qué era el hombre? En qué parte de
    su conversación abierta
entre los almacenes y los silbidos, en
    cuál de sus movimientos metálicos
vivía lo indestructible, lo imperecedero, la vida?

III

El ser como el maíz se desgranaba en el inacabable

granero de los hechos perdidos, de los

    acontecimientos

miserables, del uno al siete, al ocho,

y no una muerte, sino muchas muertes
    llegaba a cada uno:
cada día una muerte pequeña, polvo, gusano,
    lámpara
que se apaga en el lodo del suburbio, una pequeña
    muerte de alas gruesas
entraba en cada hombre como una corta lanza
y era el hombre asediado del pan o del cuchillo,
el ganadero: el hijo de los puertos, o
    el capitán oscuro del arado,
o el roedor de las calles espesas:
todos fallecieron esperando su muerte,
    su corta muerte diaria:
y su quebranto aciago de cada día era
como una copa negra que bebían temblando.

IV

La poderosa muerte me invitó muchas veces:
era como la sal invisible en las olas,
y lo que su invisible sabor diseminaba

era como mitades de hundimientos y altura
o vastas construcciones de viento y ventisquero.

Yo al férreo filo vine, a la angostura
del aire, a la mortaja de agricultura y piedra,
al estelar vacío de los pasos finales
y a la vertiginosa carretera espiral:
pero, ancho mar, oh muerte!, de ola en ola no
    vienes,
sino como un galope de claridad nocturna
o como los totales números de la noche.
Nunca llegaste a hurgar en el bolsillo, no era
posible tu visita sin vestimenta roja:
sin auroral alfombra de cercado silencio
sin altos o enterrados patrimonios de lágrimas

No pude amar en cada ser un árbol
con su pequeño otoño a cuestas (la muerte de mil
    hojas),
todas las falsas muertes y las resurrecciones
sin tierra, sin abismo:
quise nadar en las más anchas vidas,

en las más sueltas desembocaduras,

y cuando poco a poco el hombre fue negándome

y fue cerrando paso y puerta para que no tocaran

mis manos manantiales su inexistencia herida,

entonces fui por calle y calle y río y río,

y ciudad y ciudad y cama y cama,

y atravesó el desierto mi máscara salobre,

y en las últimas casas humilladas, sin lámpara, sin
fuego,

sin pan, sin piedra, sin silencio, solo,

rodé muriendo de mi propia muerte.

V

No eres tú, muerte grave, ave de plumas férreas,
la que el pobre heredero de las habitaciones
llevaba entre alimentos apresurados,
    bajo la piel vacía:

era algo, un pobre pétalo de cuerda exterminada:
un átomo del pecho que no vino al combate
o el áspero rocío que no cayó en la frente.
Era lo que no pudo renacer, un pedazo
de la pequeña muerte sin paz ni territorio:
un hueso, una campana que morían en él.
Yo levanté las vendas del yodo, hundí las manos
en los pobres dolores que mataban la muerte,
y no encontré en la herida sino una racha fría
que entraba por los vagos intersticios del alma.

VI

Entonces en la escala de la tierra he subido
entre la atroz maraña de las selvas perdidas
hasta ti, Machu Picchu.
Alta ciudad de piedras escalares,

por fin morada del que lo terrestre
no escondió en las dormidas vestiduras.
En ti, como dos líneas paralelas,
la cuna del relámpago y del hombre
se mecían en un viento de espinas.

Madre de piedra, espuma de los cóndores.

Alto arrecife de la aurora humana.

Pala perdida en la primera arena.

Ésta fue la morada, éste es el sitio:
aquí los anchos granos del maíz ascendieron
y bajaron de nuevo como granizo rojo.
Aquí la hebra dorada salió de la vicuña
a vestir los amores: los túmulos, las madres,
el rey, las oraciones, los guerreros.

Aquí los pies del hombre descansaron de noche
junto a los pies del águila en las altas guaridas
carniceras, y en la aurora

pisaron con los pies del trueno la niebla enrarecida
y tocaron las tierras y las piedras
hasta reconocerlas en la noche o la muerte.

Miro las vestiduras y las manos,
el vestigio del agua en la oquedad sonora,
la pared suavizada por el tacto de un rostro
que miró con mis ojos las lámparas terrestres:
que aceitó con mis manos las desaparecidas
maderas: porque todo, ropaje, piel, vasijas,
palabras, vino, panes,
se fue, cayó a la tierra.

Y el aire entró con dedos
de azahar sobre todos los dormidos:
mil años de aire, meses, semanas de aire,
de viento azul, de cordillera férrea,
que fueron como suaves huracanes de pasos
lustrando el solitario recinto de la piedra.

VII

Muertos de un solo abismo, sombras de una
  hondonada,
la profunda, es así como al tamaño
de vuestra magnitud

vino la verdadera, la más abrasadora
muerte y desde las rocas taladradas,
desde los capiteles escarlata,
desde los acueductos escalares
os desplomasteis como en un otoño
en una sola muerte.

Hoy el aire vacío ya no llora,
ya no conoce vuestros pies de arcilla,
ya olvidó vuestros cántaros que filtraban el cielo
cuando lo derramaban los cuchillos del rayo,
y el árbol poderoso fue comido
por la niebla, y cortado por la racha.

Él sostuvo una mano que cayó de repente
desde la altura hasta el final del tiempo.
Ya no sois, manos de araña, débiles
hebras, tela enmarañada:
cuanto fuisteis cayó: costumbres, sílabas
raídas, máscaras de luz deslumbradora.
Pero una permanencia de piedra y de palabra:
la ciudad como un vaso se levantó en las manos
de todos, vivos, muertos, callados, sostenidos

de tanta muerte, un muro, de tanta vida un golpe
de pétalos de piedra: la rosa permanente, la morada:
este arrecife andino de colonias glaciales.

Cuando la mano de color de arcilla
se convirtió en arcilla, y cuando los
　　pequeños párpados se cerraron
llenos de ásperos muros, poblados de castillos,
y cuando todo el hombre se enredó en su agujero,
quedó la exactitud enarbolada:
el alto sitio de la aurora humana:
la más alta vasija que contuvo el silencio:
una vida de piedra después de tantas vidas.

VIII

Sube conmigo, amor americano.

Besa conmigo las piedras secretas.

La plata torrencial del Urubamba

hace volar el polen a su copa amarilla.
Vuela el vacío de la enredadera,
la planta pétrea, la guirnalda dura
sobre el silencio del cajón serrano.

Ven, minúscula vida, entre las alas
de la tierra, mientras –cristal y frío, aire golpeado
apartando esmeraldas combatidas,
oh, agua salvaje, bajas de la nieve.

Amor, amor, hasta la noche abrupta,
desde el sonoro pedernal andino,
hacia la aurora de rodillas rojas,
contempla el hijo ciego de la nieve.

Oh, Wilkamayu de sonoros hilos,
cuando rompes tus truenos lineales
en blanca espuma, como herida nieve,
cuando tu vendaval acantilado
canta y castiga despertando al cielo,
qué idioma traes a la oreja apenas
desarraigada de tu espuma andina?

Quién apresó el relámpago del frío
y lo dejó en la altura encadenado,
repartido en sus lágrimas glaciales,
sacudido en sus rápidas espadas,
golpeando sus estambres aguerridos,
conducido en su cama de guerrero,
sobresaltado en su final de roca?

Qué dicen tus destellos acosados?
Tu secreto relámpago rebelde
antes viajó poblado de palabras?
Quién va rompiendo sílabas heladas,
idiomas negros, estandartes de oro,
bocas profundas, gritos sometidos,
en tus delgadas aguas arteriales?

Quién va cortando párpados florales
que vienen a mirar desde la tierra?
Quién precipita los racimos muertos
que bajan en tus manos de cascada
a desgranar su noche desgranada
en el carbón de la geología?

Quién despeña la rama de los vínculos?

Quién otra vez sepulta los adioses?

Amor, amor, no toques la frontera
ni adores la cabeza sumergida:
deja que el tiempo cumpla su estatura
en su salón de manantiales rotos,
y, entre el agua veloz y las murallas,
recoge el aire del desfiladero,
las paralelas láminas del viento,
el canal ciego de las cordilleras,
el áspero saludo del rocío,
y sube, flor a flor, por la espesura,
pisando la serpiente despeñada.

En la escarpada zona, piedra y bosque,
polvo de estrellas verdes, selva clara,
Mantur estalla como un lago vivo
o como un nuevo piso del silencio.

Ven a mi propio ser, al alba mía,

hasta las soledades coronadas.

El reino muerto vive todavía.

Y en el Reloj la sombra sanguinaria

del cóndor cruza como una nave negra.

IX

Águila sideral, viña de bruma.
Bastión perdido, cimitarra ciega.
Cinturón estrellado, pan solemne.
Escala torrencial, párpado inmenso.

Túnica triangular, polen de piedra.

Lámpara de granito, pan de piedra.

Serpiente mineral, rosa de piedra.

Nave enterrada, manantial de piedra.

Caballo de la luna, luz de piedra.

Escuadra equinoccial, vapor de piedra.

Geometría final, libro de piedra.

Témpano entre las ráfagas labrado.

Madrépora del tiempo sumergido.

Muralla por los dedos suavizada.

Techumbre por las plumas combatida.

Ramos de espejo, bases de tormenta.

Tronos volcados por la enredadera.

Régimen de la garra encarnizada.

Vendaval sostenido en la vertiente.

Inmóvil catarata de turquesa.

Campana patriarcal de los dormidos.

Argolla de las nieves dominadas.

Hierro acostado sobre sus estatuas.

Inaccesible temporal cerrado.

Manos de puma, roca sanguinaria.

Torre sombrera, discusión de nieve.

Noche elevada en dedos y raíces.

Ventanas de las nieblas, paloma endurecida.

Planta nocturna, estatua de los truenos.

Cordillera esencial, techo marino.

Arquitectura de águilas perdidas.

Cuerda del cielo, abeja de la altura.

Nivel sangriento, estrella construida.

Burbuja mineral, luna de cuarzo.

Serpiente andina, frente de amaranto.

Cúpula del silencio, patria pura.

Novia del mar, árbol de catedrales.

Ramo de sal, cerezo de alas negras.

Dentadura nevada, trueno frío.

Luna arañada, piedra amenazante.

Cabellera del frío, acción del aire.

Volcán de manos, catarata oscura.

Ola de plata, dirección del tiempo.

X

Piedra en la piedra, el hombre, dónde estuvo?

Aire en el aire, el hombre, dónde estuvo?

Tiempo en el tiempo, el hombre, dónde estuvo?

Fuiste también el pedacito roto

del hombre inconcluso, de águila vacía
que por las calles de hoy, que por las huellas,
que por las hojas del otoño muerto
va machacando el alma hasta la tumba?
La pobre mano, el pie, la pobre vida...
Los días de la luz deshilachada
en ti, como la lluvia
sobre las banderillas de la fiesta,
dieron pétalo a pétalo de su alimento oscuro
en la boca vacía?

       Hambre, coral del hombre,
hambre, planta secreta, raíz de los leñadores,
hambre, subió tu raya de arrecife
hasta estas altas torres desprendidas?

Yo te interrogo, sal de los caminos,
muéstrame la cuchara, déjame, arquitectura,
roer con un palito los estambres de piedra,
subir todos los escalones del aire hasta el vacío,
rascar la entraña hasta tocar el hombre.

Machu Picchu, pusiste
piedras en la piedra, y en la base, harapo?
Carbón sobre carbón, y en el fondo la lágrima?
Fuego en el oro, y en él, temblando el rojo
goterón de la sangre?
Devuélveme el esclavo que enterraste!
Sacude de las tierras el pan duro
del miserable, muéstrame los vestidos
del siervo y su ventana.
Dime cómo durmió cuando vivía.
Dime si fue su sueño
ronco, entreabierto, como un hoyo negro
hecho por la fatiga sobre el muro.
El muro, el muro! Si sobre su sueño
gravitó cada piso de piedra, y si cayó bajo ella
como bajo una luna, con el sueño!
Antigua América, novia sumergida,
también tus dedos,
al salir de la selva hacia el alto vacío de los dioses,
bajo los estandartes nupciales de la luz y el decoro,
mezclándose al trueno de los tambores y de las
    lanzas,

también, también tus dedos,

los que la rosa abstracta y la línea del frío, los

que el pecho sangriento del nuevo cereal trasladaron

hasta la tela de materia radiante, hasta

    las duras cavidades,

también, también, América enterrada,

    guardaste en lo más bajo,

en el amargo intestino, como un águila, el hambre?

XI

A través del confuso esplendor,
a través de la noche de piedra, déjame hundir la
    mano
y deja que en mí palpite, como un ave

mil años prisionera,

el viejo corazón del olvidado!

Déjame olvidar hoy esta dicha, que es

más ancha que el mar,

porque el hombre es más ancho que el

mar y que sus islas,

y hay que caer en él como en un pozo

para salir del fondo

con un ramo de agua secreta y de verdades

sumergidas.

Déjame olvidar, ancha piedra, la proporción

poderosa,

la trascendente medida, las piedras del panal,

y de la escuadra déjame hoy resbalar

la mano sobre la hipotenusa de áspera sangre y

cilicio.

Cuando, como una herradura de élitros

rojos, el cóndor furibundo

me golpea las sienes en el orden del vuelo

y el huracán de plumas carniceras barre el polvo

sombrío

de las escalinatas diagonales, no veo a la bestia veloz,

no veo el ciego ciclo de sus garras,
veo el antiguo ser, servidor, el dormido
en los campos, veo un cuerpo, mil
    cuerpos, un hombre, mil mujeres,
bajo la racha negra, negros de lluvia y noche,
con la piedra pesada de la estatua:
Juan Cortapiedras, hijo de Wiracocha,
Juan Comefrío, hijo de estrella verde,
Juan Piesdescalzos, nieto de la turquesa,
sube a nacer conmigo, hermano.

XII

Sube a nacer conmigo, hermano.

Dame la mano desde la profunda
zona de tu dolor diseminado.

No volverás del fondo de las rocas.

No volverás del tiempo subterráneo.

No volverá tu voz endurecida.

No volverán tus ojos taladrados.

Mírame desde el fondo de la tierra,

labrador, tejedor, pastor callado:

domador de guanacos tutelares:

albañil del andamio desafiado:

aguador de las lágrimas andinas:

joyero de los dedos machacados:

agricultor temblando en la semilla:

alfarero en tu greda derramado:

traed a la copa de esta nueva vida

vuestros viejos dolores enterrados.

Mostradme vuestra sangre y vuestro surco,

decidme: aquí fui castigado,

porque la joya no brilló o la tierra

no entregó a tiempo la piedra o el grano:

señaladme la piedra en que caísteis

y la madera en que os crucificaron,

encendedme los viejos pedernales,

las viejas lámparas, los látigos pegados

a través de los siglos en las llagas
y las hachas de brillo ensangrentado.
Yo vengo a hablar por vuestra boca muerta.
A través de la tierra juntad todos
los silenciosos labios derramados
y desde el fondo habladme toda esta larga noche,
como si yo estuviera con vosotros anclado,
contadme todo, cadena a cadena,
eslabón a eslabón, y paso a paso,
afilad los cuchillos que guardasteis,
ponedlos en mi pecho y en mi mano,
como un río de rayos amarillos,
como un río de tigres enterrados,
y dejadme llorar, horas, días, años,
edades ciegas, siglos estelares.

Dadme el silencio, el agua, la esperanza.

Dadme la lucha, el hierro, los volcanes.

Apegadme los cuerpos como imanes.
Acudid a mis venas y a mi boca.

Hablad por mis palabras y mi sangre.

Nerudiana dispersa

Textos no incluidos en libro

La canción de la fiesta

Hoy que la tierra madura se cimbra
en un temblor polvoroso y violento,
van nuestras jóvenes almas henchidas
como las velas de un barco en el viento.

Por el alegre cantar de la fuente
que en cada boca de joven asoma:
por la ola rubia de luz que se mueve
en el frutal corazón de la poma,

tiemble y estalle la fiesta nocturna
y que la arrastren triunfantes cuadrigas
en su carroza, divina y desnuda,
con su amarilla corona de espigas.

La juventud con su lámpara clara
puede alumbrar los más duros destinos,

aunque en la noche crepiten sus llamas
su lumbre de oro fecunda el camino.

Tiemble y estalle la fiesta. La risa
crispe las bocas de rosa y de seda
y nuestra voz dulcifique la vida
como el olor de una astral rosaleda.

Hombres de risa vibrante y sonora,
son los que traen la fiesta en los brazos,
son los que llenan la ruta de rosas
para que sean más suaves sus pasos.

Y una canción que estremece la tierra
se alza cantando otra vida mejor
en que se miren el hombre y la estrella
como se miran el ave y la flor.

Se harán agudas las piedras al paso
de nuestros blancos y rubios efebos
que seguirán con los ojos en alto
volcando siembras y cánticos nuevos.

Tiemble y estalle la fiesta. Que el goce
sea un racimo de bayas eximias
que se desgrane en las bocas más nobles
y que fecunde otras bellas vendimias.

(Santiago, ediciones *Juventud*, 1921).

Un hombre anda bajo la luna

Pena de mala fortuna
que cae en mi alma y la llena.
Pena.
Luna.

Calles blancas, calles blancas…
…Siempre ha de haber luna cuando
por ver si la pena arranca
ando
y ando…

Recuerdo el rincón oscuro
en que lloraba en mi infancia
–los líquenes en los muros
–las risas a la distancia.

Sombra… silencio… una voz

que se perdía...
La lluvia en el techo. Atroz
lluvia que siempre caía...
y mi llanto, húmeda voz
que se perdía.

...Se llama y nadie responde,
se anda por seguir andando...
Andar... Andar... Hacia dónde?
Y hasta cuándo?...
Nadie responde
y se sigue andando.

Amor perdido y hallado
y otra vez la vida trunca.
Lo que siempre se ha buscado
no debiera hallarse nunca!

Uno se cansa de amar...
Uno vive y se ha de ir...
Soñar... Para qué soñar?
Vivir... Para qué vivir?

...Siempre ha de haber calles blancas
cuando por la tierra grande
por ver si la pena arranca
ande
y ande...

...Ande en noches sin fortuna
bajo el vellón de la luna,
como las almas en pena...

Pena de mala fortuna
que cae en mi alma y la llena.
Pena.
Luna.

(Revista *Claridad*, edición del 29 de abril de 1922).

Sobre una poesía sin pureza

Es muy conveniente, en ciertas horas del día o de la noche, observar profundamente los objetos en descanso: las ruedas que han recorrido largas, polvorientas distancias, soportando grandes cargas vegetales o minerales, los sacos de las carbonerías, los barriles, las cestas, los mangos y asas de los instrumentos del carpintero. De ellos se desprende el contacto del hombre y de la tierra como una lección para el torturado poeta lírico. Las superficies usadas, el gasto que las manos han infligido a las cosas, la atmósfera a menudo trágica y siempre patética de estos objetos, infunde una especie de atracción no despreciable hacia la realidad del mundo.

La confusa impureza de los seres humanos se percibe en ellos, la agrupación, uso y desuso de los materiales, las huellas del pie y de los dedos, la constancia de una atmósfera humana inundando las cosas desde lo interno y lo externo.

Así sea la poesía que buscamos, gastada como por un ácido por los deberes de la mano, penetrada por el sudor y el humo, oliente a orina y a azucena salpicada por las diversas profesiones que se ejercen dentro y fuera de la ley.

Una poesía impura como un traje, como un cuerpo, con manchas de nutrición, y actitudes vergonzosas, con arrugas, observaciones, sueños, vigilia, profecías, declaraciones de amor y de odio, bestias, sacudidas, idilios, creencias políticas, negaciones, dudas, afirmaciones, impuestos.

La sagrada ley del madrigal y los decretos del tacto, olfato, gusto, vista, oído, el deseo de justicia, el deseo sexual, el ruido del océano, sin excluir deliberadamente nada, sin aceptar deliberadamente nada, la entrada en la profundidad de las cosas en un acto de arrebatado amor, y el producto poesía manchado de palomas digitales, con huellas de dientes y hielo, roído tal vez levemente por el sudor y el uso. Hasta alcanzar esa dulce superficie del instrumento tocado sin descanso, esa suavidad durísima de la madera manejada, del orgulloso hierro. La flor, el trigo, el agua tienen también esa consistencia especial, ese recurso de un magnífico tacto.

Y no olvidemos nunca la melancolía, el gastado sentimentalismo, perfectos frutos impuros de maravillosa calidad olvidada, dejados atrás por el frenético libresco: la luz de la luna, el cisne en el anochecer, "corazón mío" son sin duda lo poético elemental e imprescindible. Quien huye del mal gusto cae en el hielo.

(Revista *Caballo Verde para la Poesía*, Madrid, N° 1, 1935).

La copa de sangre

Cuando remotamente regreso y en el extraordinario azar de los trenes, como los antepasados sobre las cabalgaduras, me quedo sobredormido y enredado en mis exclusivas propiedades, veo a través de lo negro de los años, cruzándolo todo como una enredadera nevada, un patriótico sentimiento, un bárbaro viento tricolor en mi investidura: pertenezco a un pedazo de pobre tierra austral hacia la Araucanía, han venido mis actos desde los más distantes relojes, como si aquella tierra boscosa y perpetuamente en lluvia tuviera un secreto mío que no conozco, que no conozco y que debo saber, y que busco, perdidamente, ciegamente, examinando largos ríos, vegetaciones inconcebibles, montones de madera, mares del sur, hundiéndome en la botánica y en la lluvia, sin llegar a esa privilegiada espuma que las olas depositan y rompen, sin llegar a ese metro de tierra especial, sin tocar mi verdadera arena. Entonces, mientras el tren nocturno toca violentamente estaciones madereras o carboníferas como si en medio del mar de la noche se sacudiera contra los arrecifes, me siento disminuido y escolar, niño en el frío de la zona sur, con el colegio en los deslindes del pueblo, y contra el corazón los grandes, húmedos boscajes del sur del mundo. Entro en un patio, voy vestido de negro, tengo corbata de poeta, mis tíos están allí todos reunidos, son todos inmensos, debajo del árbol guitarras y cuchillos, cantos que rápidamente entrecorta el áspero vino. Y entonces abren la garganta de un cordero palpitante, y una copa abrasadora de sangre me llevan a la boca, entre disparos y cantos, y me siento agonizar como el cordero, y quiero llegar también a ser centauro, y pálido, indeciso, perdido en medio de la desierta infancia, levanto y bebo la copa de sangre.

Hace poco murió mi padre, acontecimiento estrictamente laico, y sin embargo algo religiosamente funeral ha sucedido en su tumba, y éste es el momento de revelarlo. Algunas semanas después mi madre, según el diario y temible lenguaje, fallecía también, y para que descansaran juntos trasladamos de nicho al caballero muerto. Fuimos a mediodía con mi hermano y algunos de los ferroviarios amigos del difunto, hicimos abrir el nicho ya sellado y cimentado, y sacamos la urna, pero ya llena de hongos, y sobre ella una palma con flores negras y extinguidas: la humedad de la zona había partido el ataúd y al bajarlo de su sitio, ya sin creer lo que veía, vimos bajar de él cantidades de agua, cantidades como interminables litros que caían de adentro de él, de su substancia.

Pero todo se explica: esta agua trágica era lluvia, lluvia tal vez de un solo día, de una sola hora tal vez de nuestro austral invierno, y esta lluvia había atravesado techos y balaustradas, ladrillos y otros materiales y otros muertos hasta llegar a la tumba de mi deudo. Ahora bien, esta agua terrible, esta agua salida de un imposible insondable, extraordinario escondite, para mostrarme a mí su torrencial secreto, esta agua original y temible me advertía otra vez con su misterioso derrame mi conexión interminable con una determinada vida, región y muerte.

(Texto escrito en 1938 y publicado por primera vez en: Pablo Neruda, *Selección*, Santiago, Nascimento, 1943).

Salitre

Salitre, harina de la luna llena,
cereal de la pampa calcinada,
espuma de las ásperas arenas,
jazminero de flores enterradas.

Polvo de estrella hundida en tierra oscura,
nieve de soledades abrasadas,
cuchillo de nevada empuñadura,
rosa blanca de sangre salpicada.

Junto a tu nívea luz de estalactita,
duelo, viento y dolor, el hombre habita:
harapo y soledad con su medalla.

Hermanos de las tierras desoladas:
aquí tenéis como un montón de espadas
mi corazón dispuesto a la batalla.

(Diario *El Siglo*, Santiago, 27 de diciembre de 1946).

Oceanografía dispersa

Yo soy un *amateur* del mar, y desde hace años colecciono conocimientos que no me sirven de mucho porque navego sobre la tierra.

Ahora regreso a Chile, a mi país oceánico, y mi barco se acerca a las costas de África. Ya pasó las antiguas columnas de Hércules, hoy acorazadas, servidoras del penúltimo imperialismo.

Miro el mar con el mayor desinterés, el del oceanógrafo puro, que conoce la superficie y la profundidad, sin placer literario, sino con un saboreo conocedor, de paladar cetáceo.

A mí siempre me gustaron los relatos marinos y tengo mi red en la estantería, pero el libro que más consulto es alguno de Williams Beebe o una buena monografía descriptiva de las volutas marinas del mar antártico.

Es el Plankton el que me interesa, esa agua nutricia, molecular y electrizada que tiñe los mares con un color de relámpago violeta. Así he llegado a saber que las ballenas se nutren casi exclusivamente de este innumerable crecimiento marino. Pequeñísimas plantas e infusorios irreales pueblan este tembloroso continente. Las ballenas abren, mientras se desplazan, sus inmensas bocas levantando la lengua hasta el paladar, de modo que estas aguas vivas y viscorales las van llenando y nutriendo.

Así se alimenta la ballena glauca *(Bachianetas glaucus)* que pasa hacia el sur del Pacífico y hacia las islas calurosas por frente a las ventanas de mi Isla Negra.

Por allí también pasa la ruta migratoria del cachalote, o ballena dentada, la más chilena de las perseguidas, porque fueron los balleneros chilenos ilustrando el mundo folklórico del mar, con sus dientes, en los cuales, con manos rudas, grabaron a cuchillo corazones y flechas, pequeños monumentos de amor, retratos infantiles de sus veleros o de sus novias. Pero nuestros balleneros, los más audaces del hemisferio marino, no pasaron el estrecho y el Cabo de Hornos, el Antártico y sus cóleras, para desgranar la dentadura del amenazador cachalote, sino para arrebatarle su tesoro de grasa y lo que es más aún, la bolsita de ámbar gris que sólo este monstruo esconde en su montaña abdominal.

Pero nada de los asombradores habitantes del Pacífico pasa ante mis ojos, sino el Atlántico férreo. Yo dejé atrás el último santuario azul del Mediterráneo, las grutas y los contornos marinos y submarinos de la Isla de Capri, en que las sirenas salían a peinarse sobre las peñas sus cabellos azules, porque el mar había teñido y empapado con su movimiento sus locas cabelleras.

En el acuario de Nápoles pude ver las moléculas eléctricas de los organismos primaverales, y sobre todo subir y bajar la medusa, hecha de vapor y de plata, agitándose en su danza dulce y solemne, circundada por dentro por el único cinturón eléctrico llevado hasta ahora por ninguna otra dama de las profundidades submarinas.

Hace muchos años en Madras, en la sombría India de mi juventud, visité su acuario maravilloso, y hasta ahora recuerdo los peces bruñidos, las murenas venenosas, los cardúmenes vestidos de incendio y arcoiris, y más aún, los pulpos extraordinariamente serios y medidos, metálicos como máquinas registradoras, con innumerables ojos, piernas, ventosas y conocimientos.

Del gran Pulpo que conocimos todos por primera vez en *Los trabajadores del mar*, de Victor Hugo, pulpo también tentacular y polimorfo de la poesía, sólo llegué a ver, hace unos pocos días, un fragmento de brazo en el Museo de Historia Natural de Copenhague. Éste sí es el antiguo Kraken, terror de los mares antiguos, que agarraba a un velero y lo arrollaba cubriéndolo y enredándolo. El fragmento que yo vi conservado en alcohol indicaba que su longitud pasaba de treinta metros.

Pero lo que yo perseguí con constancia fue la huella o más bien el cuerpo del Narval.

De ser tan desconocido para mis amigos el gigantesco unicornio marino de los mares del norte llegué a sentirme exclusivo correo de los Narvales, y a creerme Narval yo mismo, por parte de la ignorancia ajena.

Existe el Narval?

Es posible que un animal del mar extraordinariamente pacífico que lleva en la frente una lanza de marfil de cuatro y cinco metros, estriada en toda su longitud al estilo salomónico, terminada en aguja, pueda pasar inadvertido para millones de seres, aun en su leyenda, aun en su maravilloso nombre?

De su nombre puedo decir –narwhla o narval– que es el más hermoso de los nombres submarinos, nombre de copa marina que canta, nombre de espolón de cristal.

Y por qué entonces nadie sabe su nombre?

Por qué no existen los Narval, la bella casa Narval, y aun Narval Ramírez o Narvala Carvajal?

Y así ha sido. El unicornio marino continuó en su misterio, en sus corrientes de sombra transmarina, con su larga espada de marfil sumergida en el océano ignoto.

En la Edad Media la cacería de todos los unicornios fue un deporte místico y estético. El unicornio terrestre quedó para siempre, deslumbrante, en las tapicerías, rodeado de damas alabastrinas y copetonas, aureolado en su majestad por todas las aves que trinan o fulguran.

En cuanto al Narval, los monarcas medioevales se enviaban, como regalo magnífico, algún fragmento de su cuerpo fabuloso, y de éste raspaban polvo que diluido en licores daba, oh eterno sueño del hombre, salud, juventud y potencia!

Vagando en Dinamarca, de donde vengo ahora, entré en una antigua tienda de historia natural, estos negocios desconocidos en nuestra América que para mí tienen toda la fascinación de la tierra. Allí arrinconados descubrí tres o cuatro cuernos de Narval. Los más grandes medían casi cinco metros. Largamente los blandí y acaricié.

El viejo propietario de la tienda me veía hacer lances ilusorios con la lanza de marfil en mis manos, contra los invisibles molinos del mar. Después los dejé cada uno en su rincón. Sólo pude comprarme uno pequeño de narval recién nacido, de los que salen a explorar con su espolón inocente las frías aguas árticas.

Lo guardé en mi maleta, pero en mi pequeña pensión de Suiza frente al lago Leman, necesité ver y tocar el mágico tesoro del unicornio marino que me pertenecía. Y lo saqué de mi maleta.

Ahora no lo encuentro.

Lo habré dejado en la pensión de Vésenaz, en un cajón, habrá rodado a última hora bajo la cama? O verdaderamente habrá regresado en forma misteriosa y nocturna al círculo polar?

Miro las pequeñas olas de un nuevo día en el Atlántico.

El barco deja a cada costado de su proa una desgarradura blanca, azul y sulfúrica de aguas, espumas y abismos agitados.

Son las puertas del océano que tiemblan.

Por sobre ella, vuelan los diminutos peces voladores, de plata y transparencia.

Regreso del destierro.

Miro largamente las aguas. Sobre ellas navego hacia otras aguas: las olas atormentadas de mi patria.

El cielo de un largo día cubre todo el océano.

La noche llegará y con su sombra esconderá una vez más el gran palacio verde del misterio.

(Revista *Vistazo*, Santiago, 21 de septiembre de 1952).

Algunas reflexiones improvisadas
sobre mis trabajos

Mi primer libro, *Crepusculario*, se asemeja mucho a algunos de mis libros de mayor madurez. Es, en parte, un diario de cuanto acontecía dentro y fuera de mí mismo, de cuanto llegaba a mi sensibilidad. Pero, nunca, *Crepusculario*, tomándolo como nacimiento de mi poesía, al igual que otros libros invisibles o poemas que no se publicaron, contuvo un propósito poético deliberado, un mensaje sustantivo original. Este mensaje vino después como un propósito que persiste bien o mal dentro de mi poesía. A ello me referiré en estas confesiones.

Apenas escrito *Crepusculario* quise ser un poeta que abarcara en su obra una unidad mayor. Quise ser, a mi manera, un poeta cíclico que pasara de la emoción o de la visión de un momento a una unidad más amplia. Mi primera tentativa en este sentido fue también mi primer fracaso.

Se trata de ese ciclo de poemas que tuvo muchos nombres y que, finalmente, quedó con el de *El hondero entusiasta*. Este libro, suscitado por una intensa pasión amorosa, fue mi primera voluntad cíclica de poesía: la de englobar al hombre, la naturaleza, las pasiones y los acontecimientos mismos que allí se desarrollaban, en una sola unidad.

Escribí afiebrada y locamente aquellos poemas que consideraba profundamente míos. Creí también haber pasado del desorden a un planteamiento formal. Recuerdo que, desprendiéndome ya del tema amoroso y llegando a la abstracción, el primero de esos poemas, que da título al libro, lo escribí en una noche extraordinariamente quieta, en Temuco, en verano, en casa de mis padres. En esta casa yo ocupaba el segundo piso casi por entero. Frente a la ventana había un río y una catarata de estrellas que me parecían moverse. Yo escribí de una manera delirante aquel poema, llegando, tal vez, como en uno de los pocos momentos de mi vida, a sentirme totalmente poseído por una especie de embriaguez cósmica. Creí haber logrado uno de mis primeros propósitos.

Por aquellos tiempos había llegado a Santiago la poesía de un gran poeta uruguayo, Carlos Sabat Ercasty, poeta ahora injustamente olvidado. La persona que me habló y me comunicó un entusiasmo ferviente por la poesía de Sabat Ercasty fue mi gran amigo, el malogrado Joaquín Cifuentes Sepúlveda. Por este joven y generoso poeta, que guardaba una admiración perpetua hacia sus compañeros y una falta de egoísmo casi suicida que lo llevó, tal vez por aminorarse, a la destrucción y la muerte, conocí yo los poemas de Sabat Ercasty.

En este poeta vi yo realizada mi ambición de una poesía que englobara no sólo al hombre, sino a la naturaleza, a las fuerzas escondidas, una poesía epopéyica que se enfrentara con el gran misterio del universo y también con las posibilidades del hombre. Entré en correspondencia con él. Al mismo tiempo que yo proseguía y maduraba mi obra, leía con mucha atención las cartas que él generosamente dedicaba a un tan desconocido y joven poeta. Yo tenía tal vez 17 ó 18 años y aquella noche, después de haber escrito ese poema, decidí enviarle este fruto de mi trabajo en el que había puesto lo más original de lo esencial mío. Se lo mandé pidiéndole una opinión muy franca sobre él, a la vez que lo consultaba si le parecía hallar alguna influencia de Sabat Ercasty.

Yo pensé, y mi vanidad me perdió, que el poeta me lanzaría una ininterrumpida serie de elogios por lo que yo creía una verdadera obra maestra dentro de los límites de mi poesía. Recibí poco después, y sin que ello disminuyera mi entusiasmo por él, una noble carta de Sabat Ercasty en que me decía que había leído en ese poema una admirable poesía que lo había traspasado de emoción, pero que, hablándome con el alma y sin hipocresía alguna, hallaba que ese poema tenía "La influencia de Carlos Sabat Ercasty".

Mi inmensa vanidad recibió esta respuesta como una piedra cósmica, como una respuesta del cielo nocturno al que yo había lanzado mis piedras de hondero. Me quedé entonces, por primera vez, con un trabajo que no debía proseguir. Yo, tan joven, que me proponía escribir una larga obra con propósitos determinados o caóticos, pero que representara lo que siempre busqué, una extensa unidad, y aquel poema tembloroso, lleno de estrellas, que me parecía haberme dado la posesión de mi camino, recibía aquel juicio que me hundía en lo incomprensible, porque mi juventud no comprendía entonces, que no es la originalidad el camino, no es la búsqueda nerviosa de lo que puede distinguirlo a uno de los demás, sino la expresión hecha camino, encontrado a través, precisamente, de muchas influencias y de muchos aportes.

Pero esto es largo de conocer y aprender. El joven sale a la vida creyendo que es el corazón del mundo y que el corazón del mundo se va a expresar a través de él. Terminó allí mi ambición cíclica de una ancha poesía, cerré la puerta a una elocuencia desde ese momento para mí imposible de seguir, y reduje estilísticamente, de una manera deliberada, mi expresión.

El resultado fue mi libro *Veinte poemas de amor y una canción desesperada.*

Sin embargo este libro no alcanzó, para mí, aún en esos años de tan poco conocimiento, el secreto y ambicioso deseo de llegar a una poesía aglomerativa en que todas las fuerzas del mundo se juntaran y se derribaran. Era éste el conflicto que yo me reservaba.

Empecé una segunda tentativa frustrada y éste se llamó verdaderamente *Tentativa...* En el título presuntuoso de este libro se puede ver cómo esta motivación vino a poseerme desde muy temprano. *Tentativa del hombre infinito* fue un libro que no alcanzó a ser lo que quería, no alcanzó a serlo por muchas razones en que ya interviene la vida de todos los días. Sin embargo, dentro de su pequeñez y de su mínima expresión, aseguró más que otras obras mías el camino que yo debía seguir. Yo he mirado siempre la *Tentativa del hombre infinito* como uno de los verdaderos núcleos de mi poesía, porque trabajando en estos poemas, en aquellos lejanísimos años, fui adquiriendo una conciencia que antes no tenía y si en alguna parte están medidas las expresiones, la claridad o el misterio, es en este pequeño libro, extraordinariamente personal.

Curiosamente, en estos días, ha llegado a mis manos el manuscrito de una obra crítica sobre mi poesía, muy extensa, del eminente escritor uruguayo Emir Rodríguez Monegal. No se halla aún impresa y se me ha enviado para que yo la vea. Entre las cosas que allí aparecen he visto que a este libro mío, Jorge Elliott, escritor chileno a quien conocemos y apreciamos, le atribuye la influencia de *Altazor*, de Vicente Huido- bro. No sabía que Jorge Elliott había expresado tal error. No se trata aquí de defenderse de influencias (ya he hablado de la de Sabat Ercasty), pero quiero aprovechar este momento para decir que en ese tiempo yo no sabía que existiera un libro llamado *Altazor*, ni creo que este mismo estuviese escrito o publicado. No estoy seguro porque no tengo a mano los datos correspondientes, pero me parece que no. Yo cono- cía, sí, los poemas de Huidobro, los primeros excelen- tes poemas de *Horizon Carré*, de *Tour Eiffel*, de los *Poemas árticos*. Admiraba profundamente a Vicente Huidobro, y decir profundamente es decir poco. Po- siblemente, ahora lo admiro más, pues en este tiempo su obra maravillosa se hallaba todavía en desarrollo. Pero el Huidobro que yo conocía y tanto admiraba era con el que menos contacto podía tener. Basta leer mi poema *Tentativa del hombre infinito*, o los anteriores, para establecer que, a pesar de la infinita destreza, del divino arte de juglar de la inteligencia y del juego inte- lectivo que yo admiraba en Vicente Huidobro, me era totalmente imposible seguirlo en ese terreno, debido a que toda mi condición, todo mi ser más profundo, mi tendencia y mi propia expresión, eran antípodas de esa misma destreza de Huidobro. *Tentativa del hombre infinito*, experiencia frustrada de un poema cíclico, muestra precisamente un desarrollo en la oscuridad, un aproximarse a las cosas con enorme dificultad para definirlas: todo lo contrario de la técnica y de la poesía de Vicente Huidobro que juega iluminando los más pequeños espacios. Y ese libro mío procede, como casi toda mi poesía, de la oscuridad del ser que va paso a paso encontrando obstáculos para elaborar con ellos su camino.

El largo tiempo de vida ilegal y difícil, provocada por acontecimientos políticos que turbaron y conmovieron profundamente a nuestro país, sirvió para que nuevamente volviera a mi antigua idea de un poema cíclico. Por entonces tenía ya escrito *Alturas de Machu Picchu*.

En la soledad y aislamiento en que vivía y asistido por el propósito de dar una gran unidad al mundo que yo quería expresar, escribí mi libro más ferviente y más vasto: el *Canto general*. Este libro fue la coronación de mi tentativa ambiciosa. Es extenso como un buen fragmento del tiempo y en él hay sombra y luz a la vez, porque yo me proponía que abarcara el espacio mayor en que se mueven, crean, trabajan y perecen las vidas y los pueblos.

No hablaré de la substancia íntima de este libro. Es materia de quienes lo comenten.

Aunque muchas técnicas, desde las antiguas del clasicismo, hasta los versos populares, fueron empleadas por mí en este *Canto*, quiero decir algunas palabras sobre uno de mis propósitos.

Se trata del prosaísmo que muchos me reprochan como si tal procedimiento manchara o empañara esta obra.

Este prosaísmo está íntimamente ligado a mi concepto de CRÓNICA. El poeta debe ser, parcialmente, el CRONISTA de su época. La crónica no debe ser quintaesenciada, ni refinada, ni cultivista. Debe ser pedregosa, polvorienta, lluviosa y cotidiana. Debe tener la huella miserable de los días inútiles y las execraciones y lamentaciones del hombre.

Mucho me ha sorprendido la no comprensión de estos simples propósitos que significan grandes cambios en mi obra, cambios que mucho me costaron. Comprendo que derivé siempre hacia la expresión más misteriosa y centrífuga de *Residencia en la tierra* o de *Tentativa*, y muy difícil fue para mí llegar al arrastrado prosaísmo de ciertos fragmentos del *Canto general*, que escribí porque sigo pensando que así debieron ser escritos. Porque así escribe el cronista.

Las uvas y el viento, que viene después, quiso ser un poema de contenido geográfico y político, fue también una tentativa en algún modo frustrada, pero no en su expresión verbal que algunas veces alcanza el intenso y espacioso tono que quiero para mis cantos. Su vastedad geográfica y su inevitable apasionamiento político lo hacen difícil de aceptar a muchos de mis lectores. Yo me sentí feliz escribiendo este libro.

Otra vez volvió a mí la tentación muy antigua de escribir un nuevo y extenso poema. Fue por una curiosa asociación de cosas. Hablo de las *Odas elementales*. Estas Odas, por una provocación exterior, se transformaron otra vez en ese elemento que yo ambicioné siempre:

el de un poema de extensión y totalidad. La incitación provocativa vino de un periódico de Caracas, *El Nacional*, cuyo director, mi querido compañero Miguel Otero Silva, me propuso una colaboración semanal de poesía. Acepté, pidiendo que esta colaboración mía no se publicara en la página de Artes y Letras, en el Suplemento Literario, desgraciadamente ya desaparecido, de ese gran diario venezolano, sino que lo fuese en sus páginas de crónica. Así logré publicar una larga historia de este tiempo, de las cosas, de los oficios, de las gentes, de las frutas, de las flores, de la vida, de mi visión, de la lucha, en fin, de todo lo que podía englobar de nuevo en un vasto impulso cíclico mi creación. Concibo, pues, las *Odas elementales* como un solo libro al que me llevó otra vez la tentación de ese antiguo poema que empezó casi cuando comenzó a expresarse mi poesía.

Y ahora unas últimas palabras para explicar el nacimiento de mi último libro, *Memorial de Isla Negra*.

En esta obra he vuelto también, deliberadamente, a los comienzos sensoriales de mi poesía, a *Crepusculario*, es decir, a una poesía de la sensación de cada día. Aunque hay un hilo biográfico, no busqué en esta larga obra, que consta de cinco volúmenes, sino la expresión venturosa o sombría de cada día. Es verdad que está encadenado este libro como un relato que se dispersa y que vuelve a unirse, relato acosado por los acontecimientos de mi propia vida y por la naturaleza que continúa llamándome con todas sus innumerables voces.

Es todo cuanto por ahora, en la intimidad, podría decir de la elaboración de mis libros. No sé hasta qué punto podrá ser verdadero cuanto he dicho. Tal vez se trata sólo de mis propósitos o de mis inclinaciones. De todos modos, los ya explicados han sido algunos de los móviles fundamentales en mis trabajos. Y no sé si será pecar de jactancia decir, a los años que llevo, que no renuncio a seguir atesorando todas las cosas que yo haya visto o amado, todo lo que haya sentido, vivido, luchado, para seguir escribiendo el largo poema cíclico que aún no he terminado, porque lo terminará mi última palabra en el final instante de mi vida.

Improvisación para inaugurar el seminario de estudios sobre la obra de Pablo Neruda, realizado en la Biblioteca Nacional de Santiago del 7 de agosto al 3 de septiembre de 1964, con motivo del sexagésimo aniversario del poeta. (Publicado en la revista *Mapocho*, tomo II, N° 3, de 1964).